NUMBER TRACING

6

SIX

AGES 3-5

PRACTICE WORKBOOK FOR PRESCHOOL

First edition: 2017

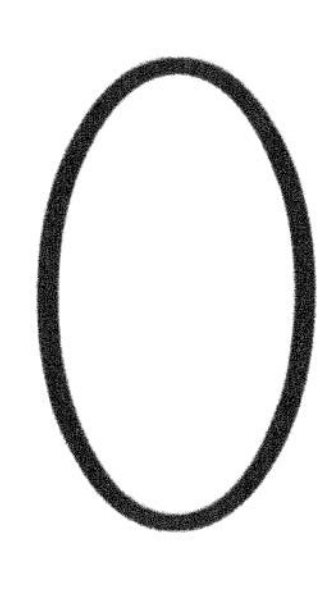

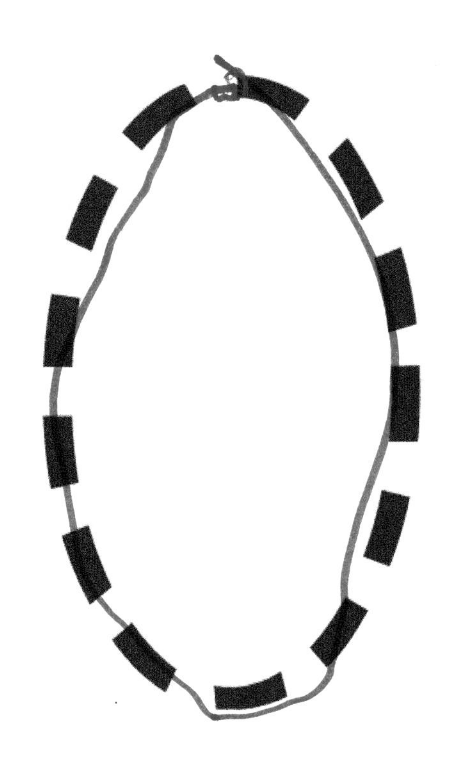

Trace the 0s.

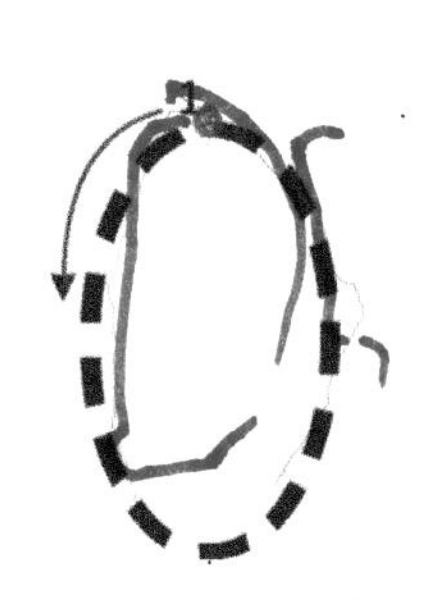

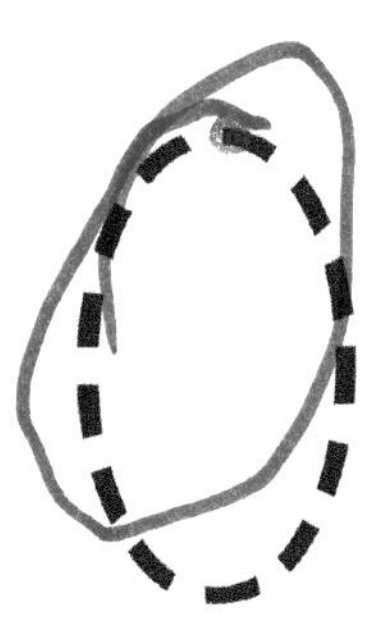
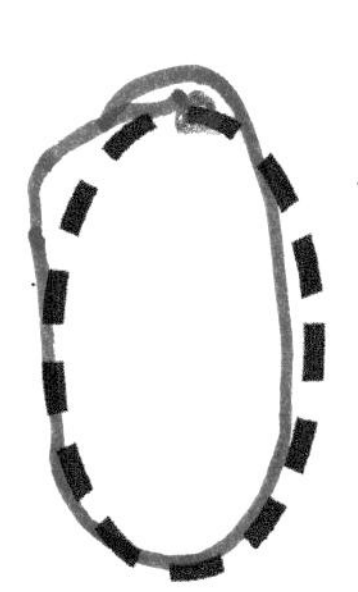

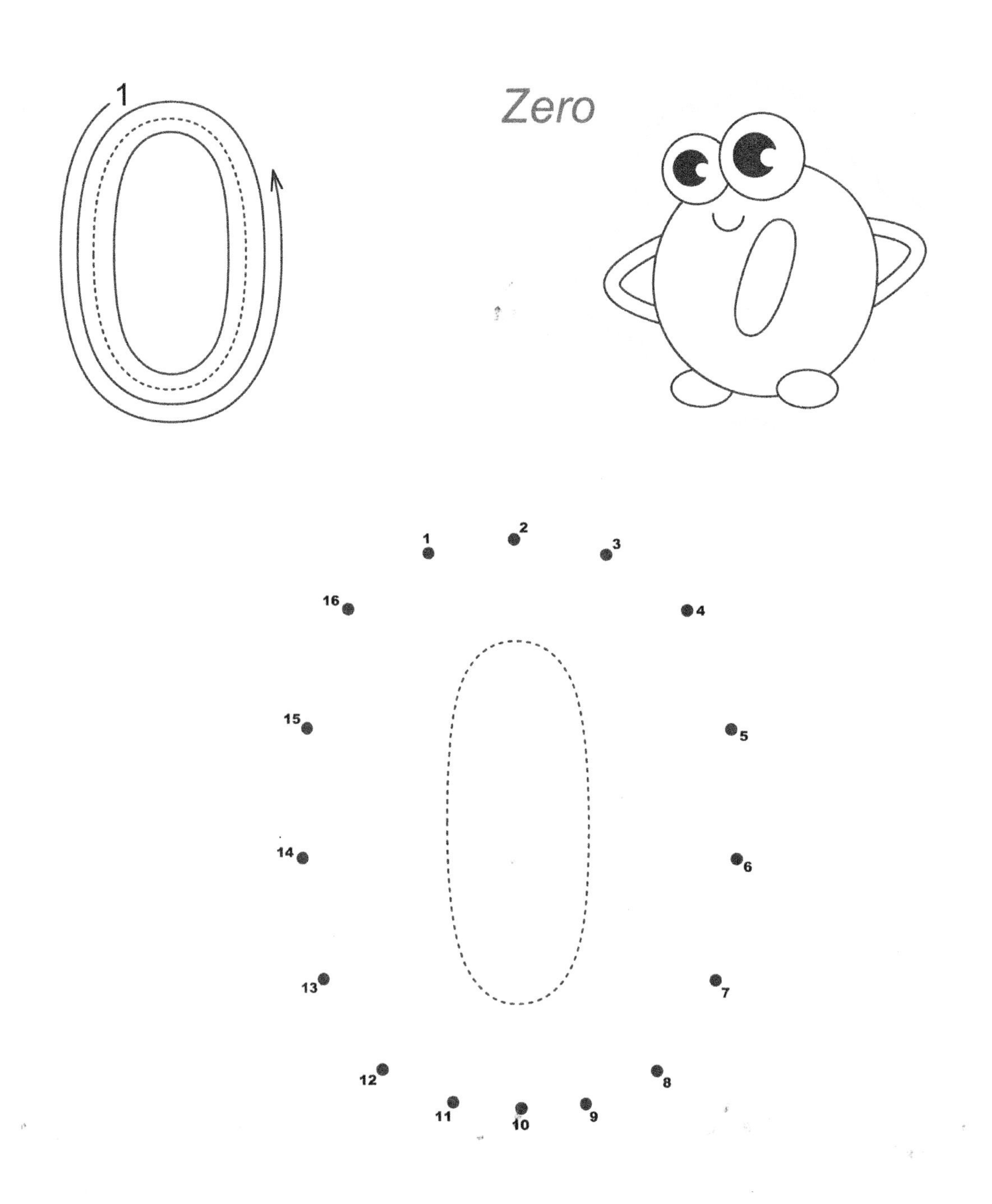
Zero

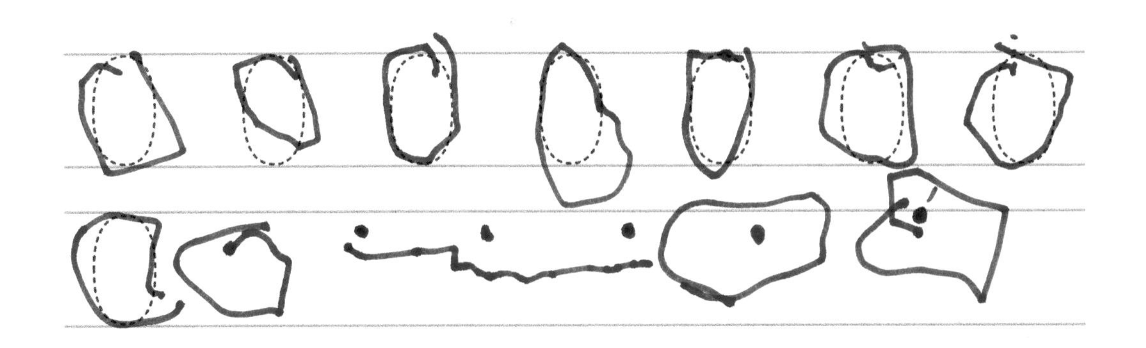

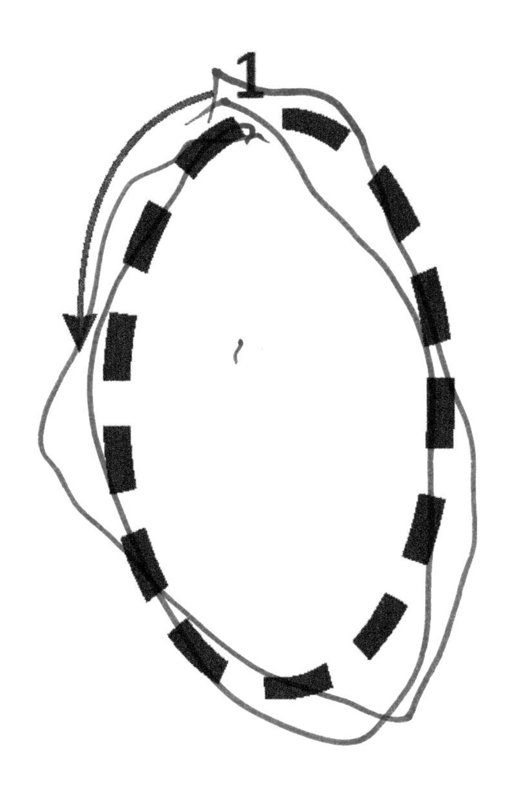
1

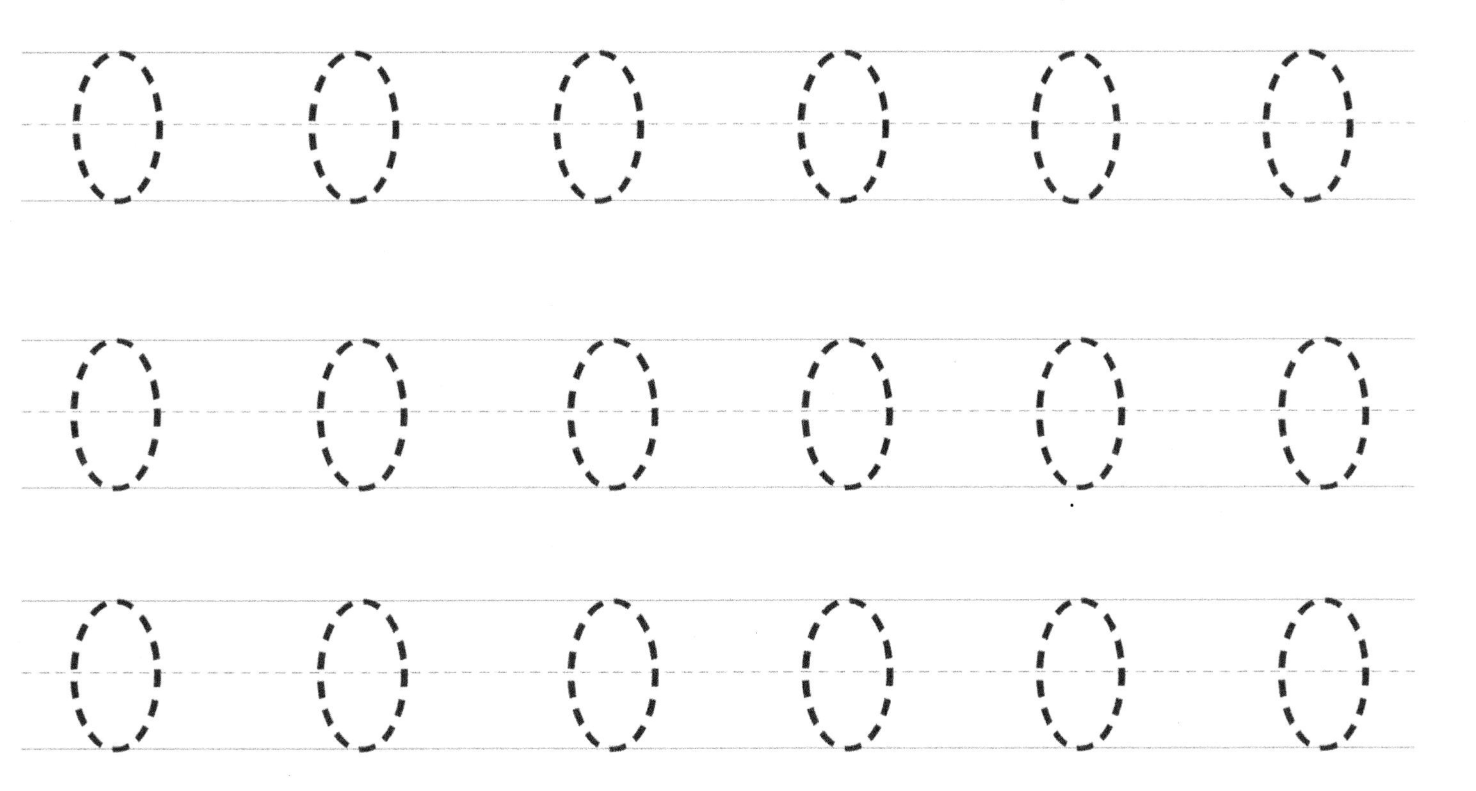

Trace the 1s.

1
2
One
1
2
3
4
5
6
7
8
9
10
11
12
13
14
15
16
17
18
19
20

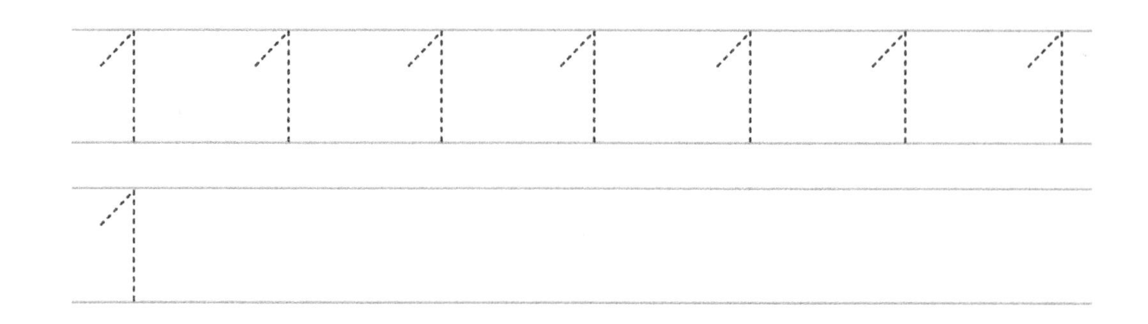

1

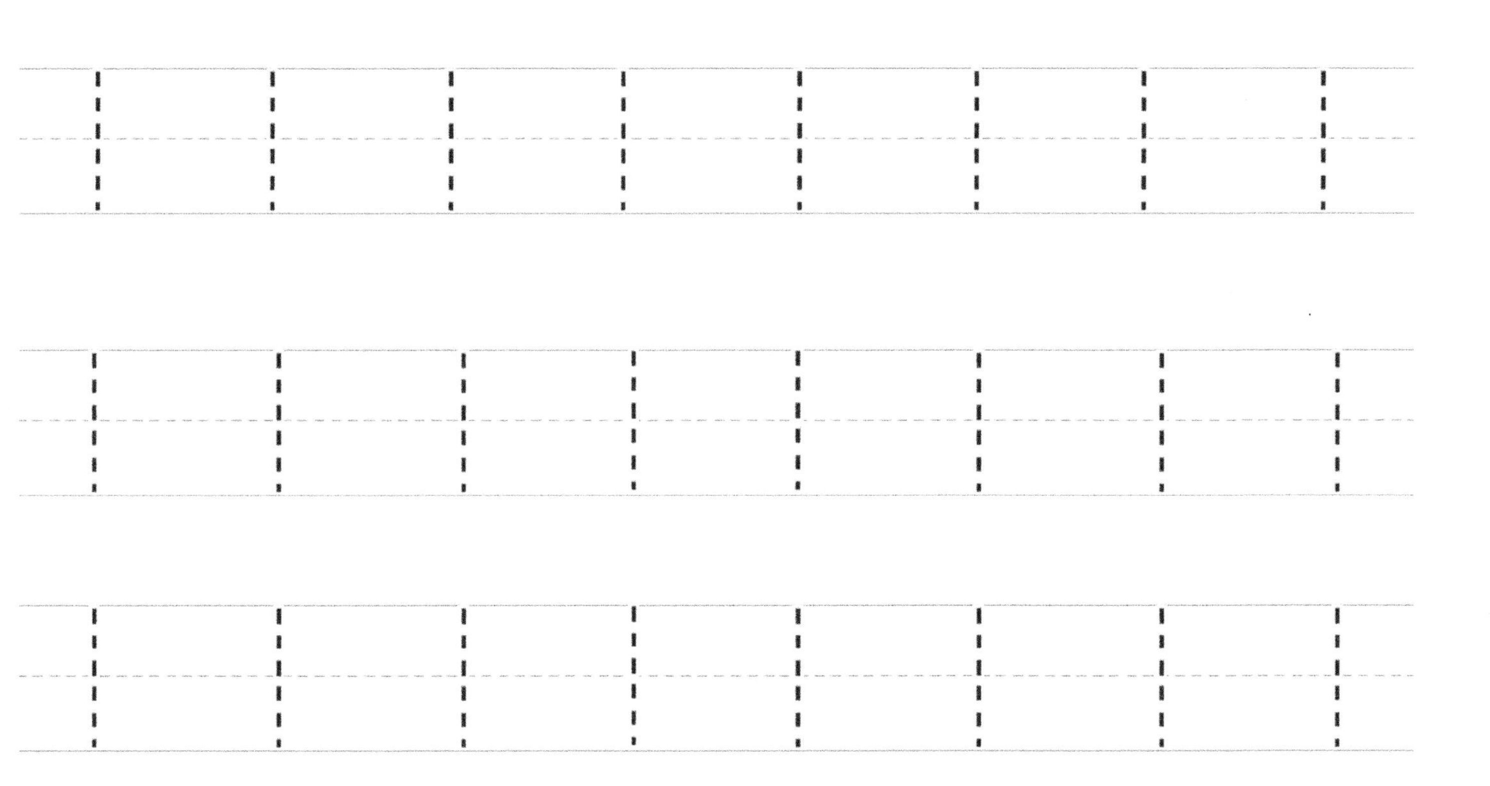

Trace the 2s.

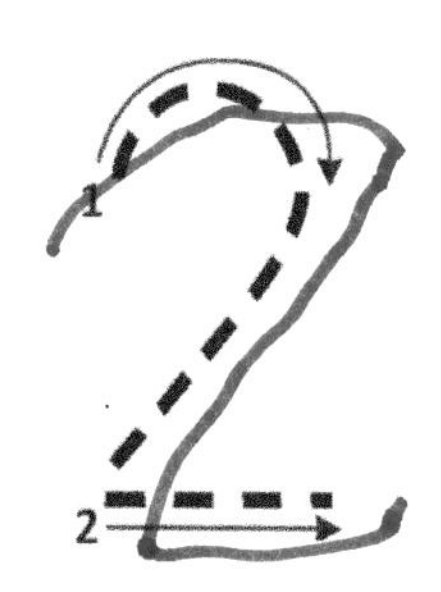

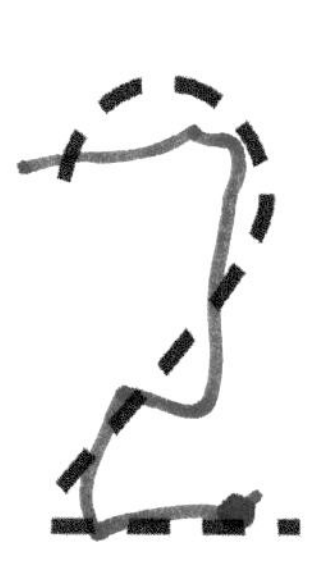

Two
1
2
3

1
2

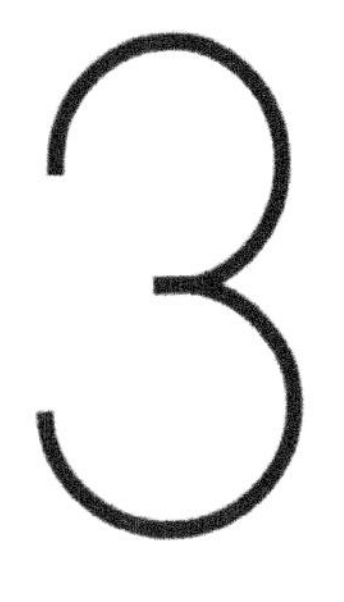

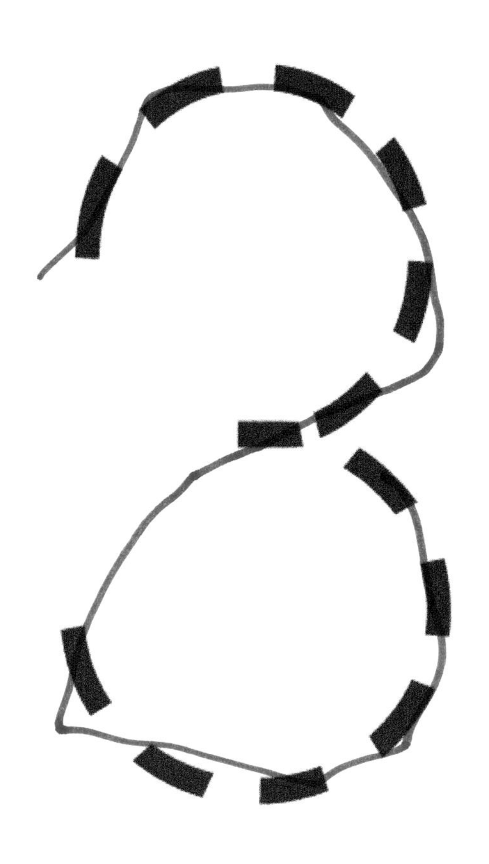

Trace the 3s.

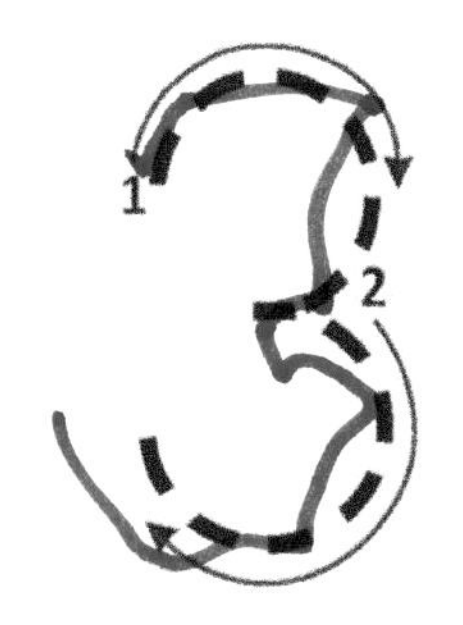

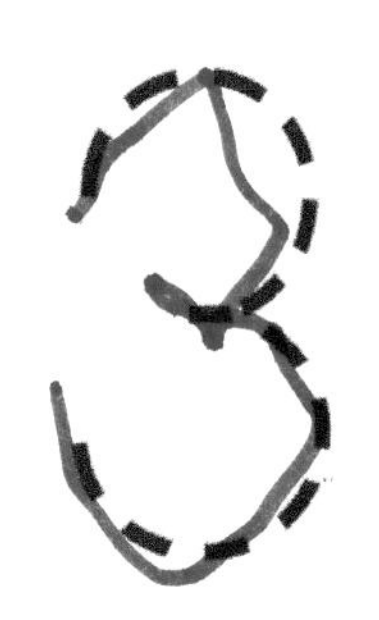

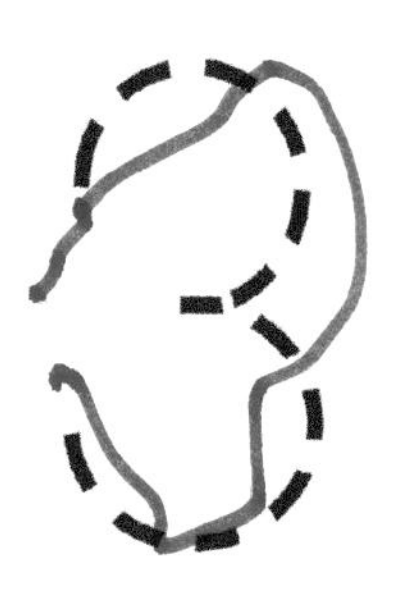

Three
1
2
1
2
3
4
5
6
7
8
9
10
11
12
13
14
15
16
17
18
19
20
21
22
23
24
25
26
27
28
29
30
31
32
33
34
35
36

1
2

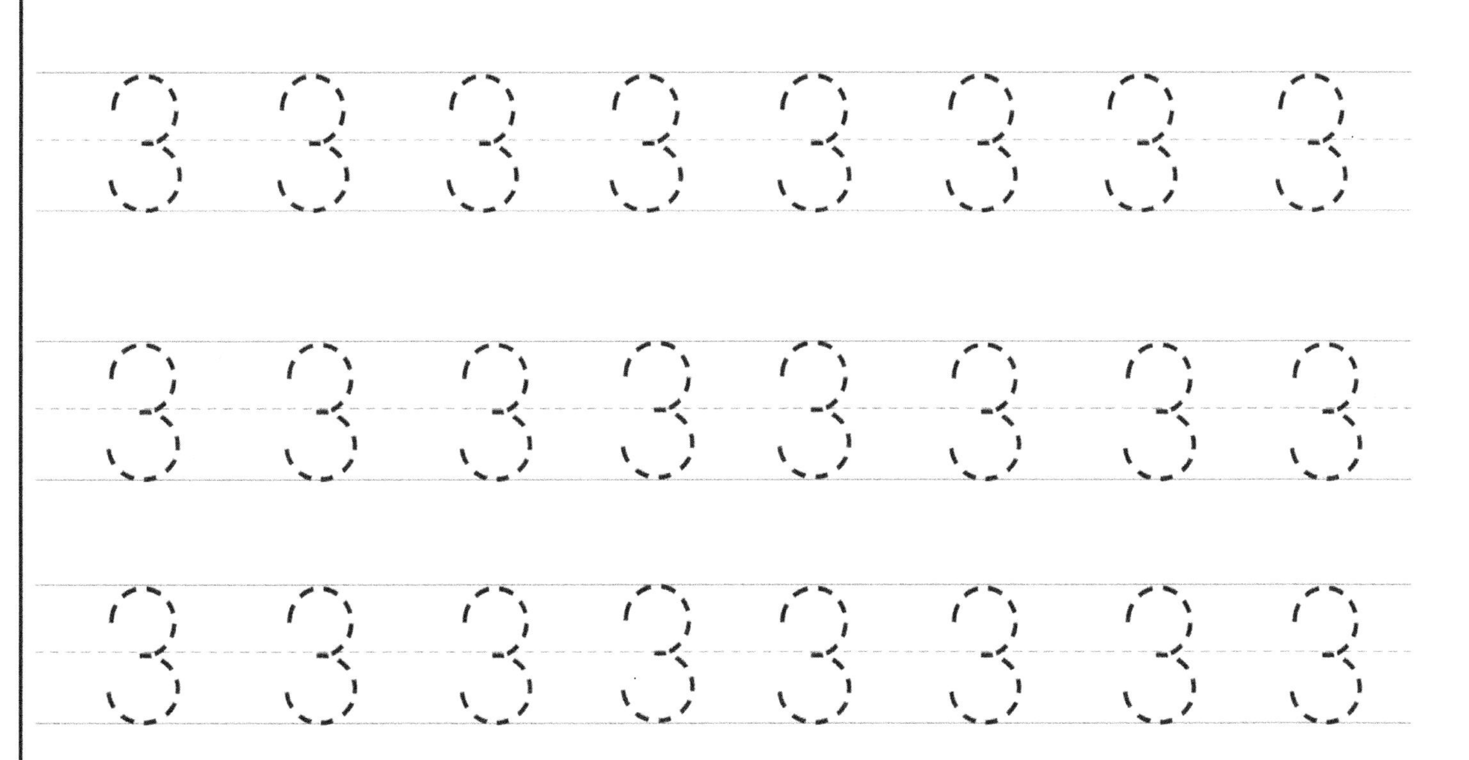

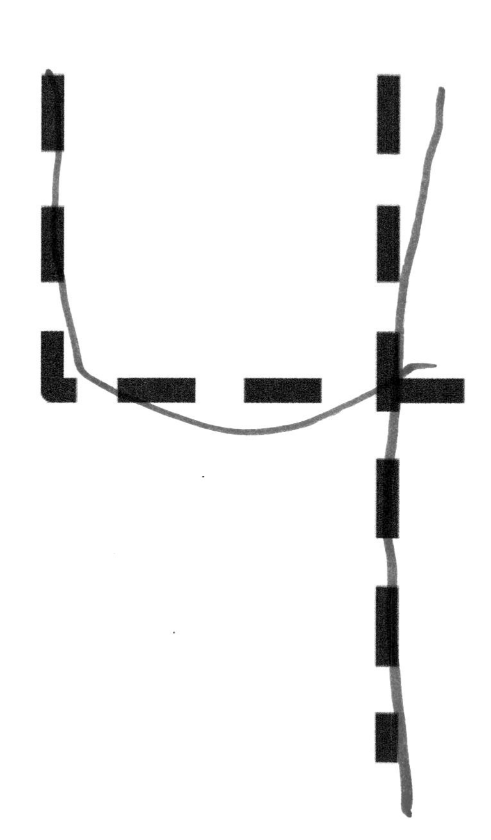

Trace the 4s.

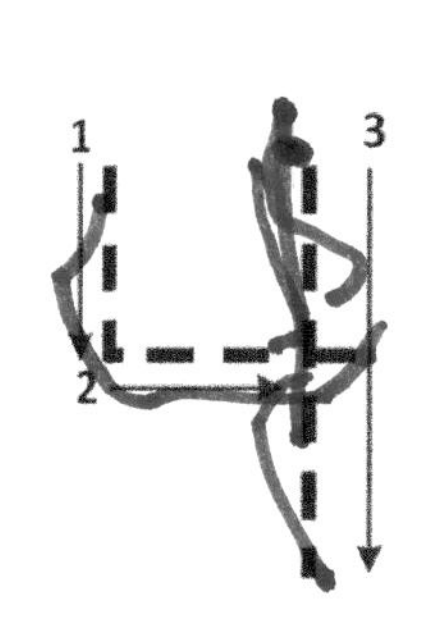

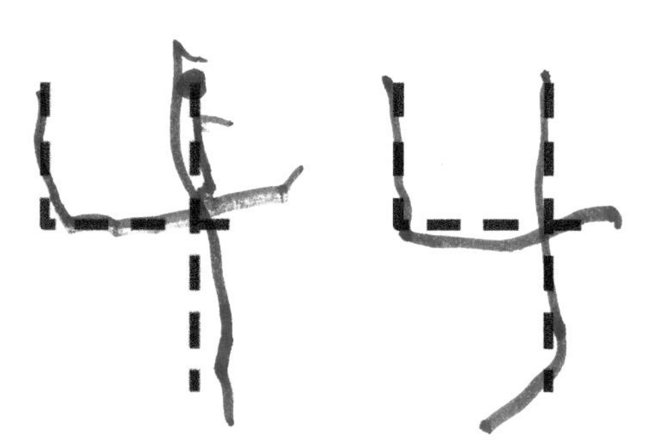

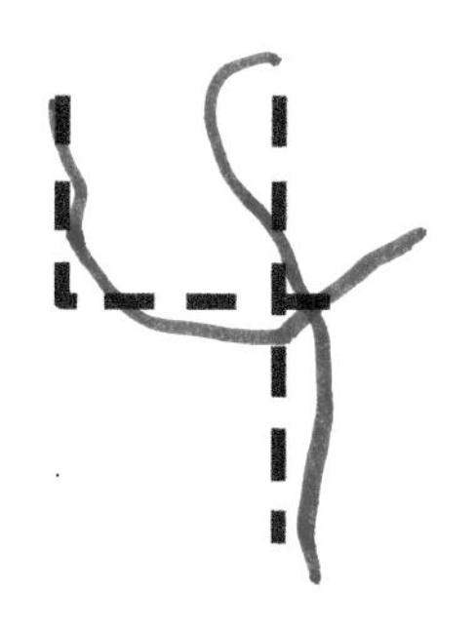

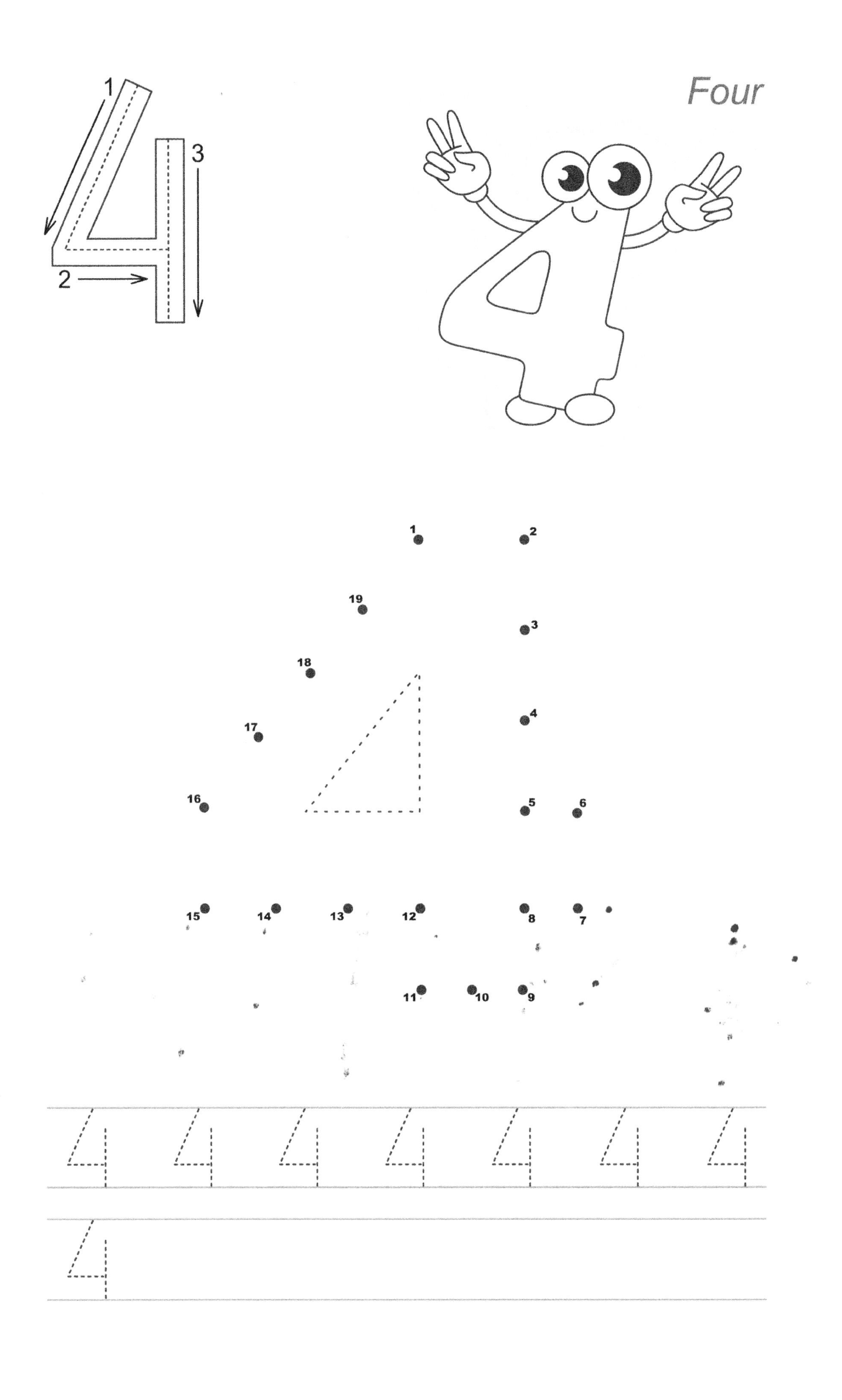

Four
1
2
3
1
2
3
4
5
6
7
8
9
10
11
12
13
14
15
16
17
18
19

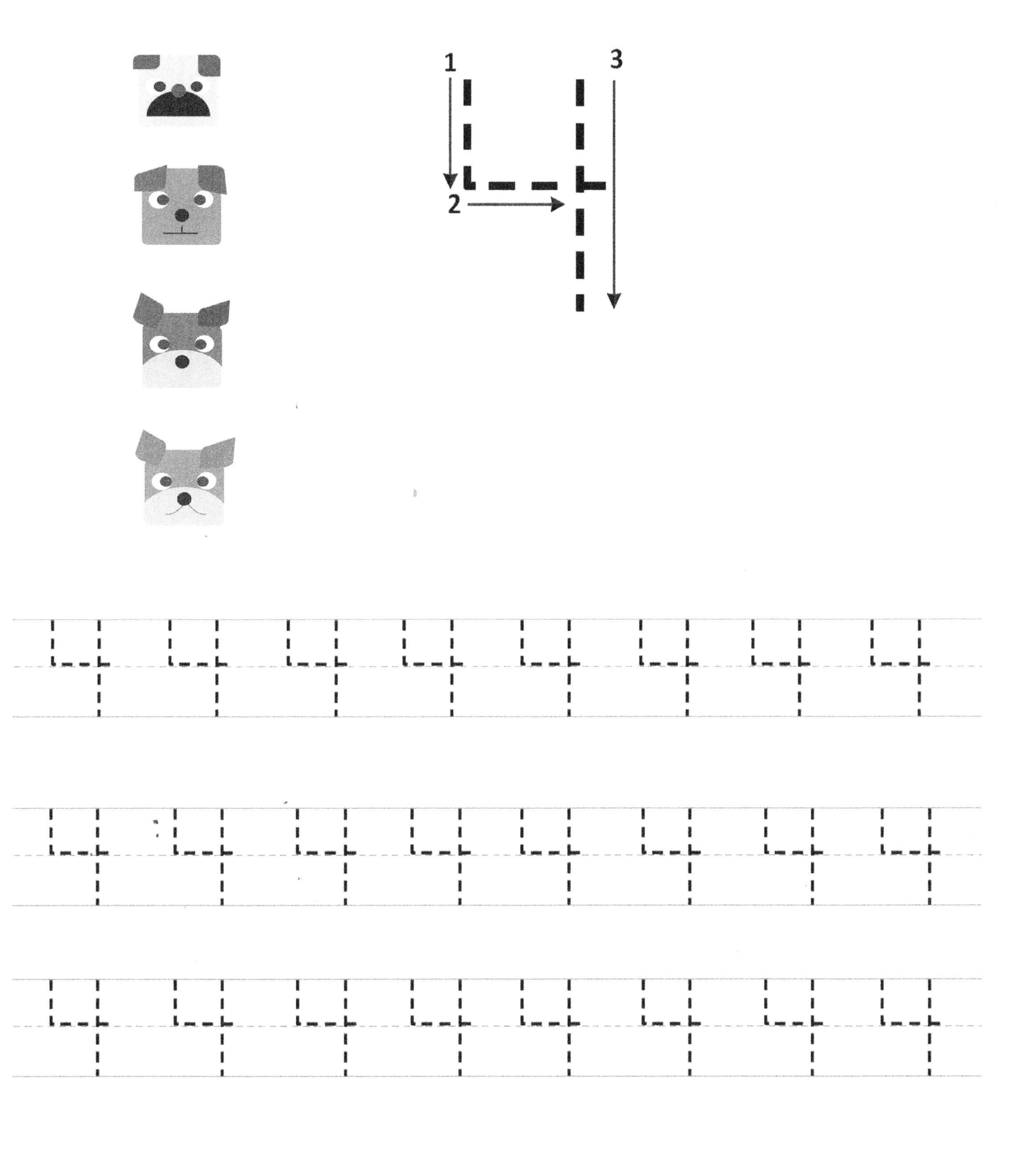
1
2
3

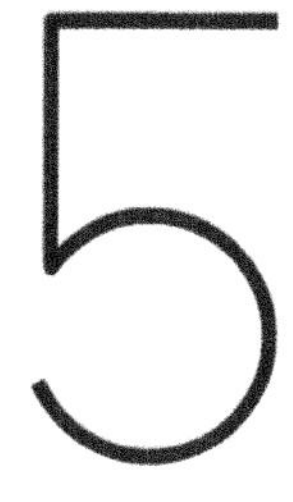

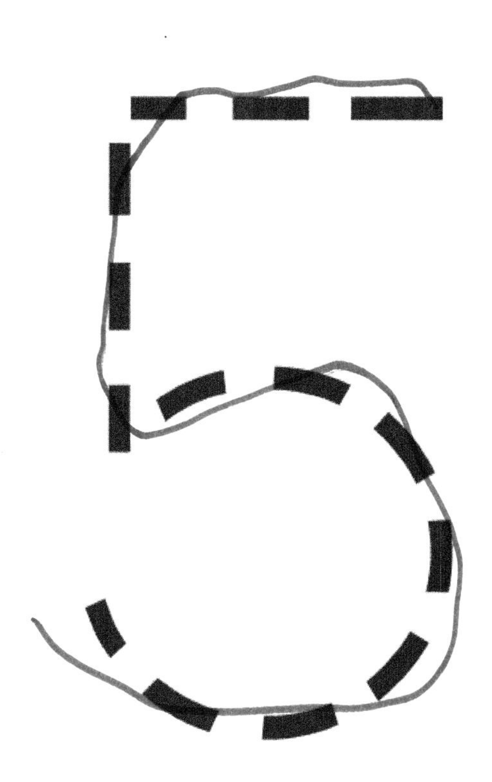

Trace the 5s.

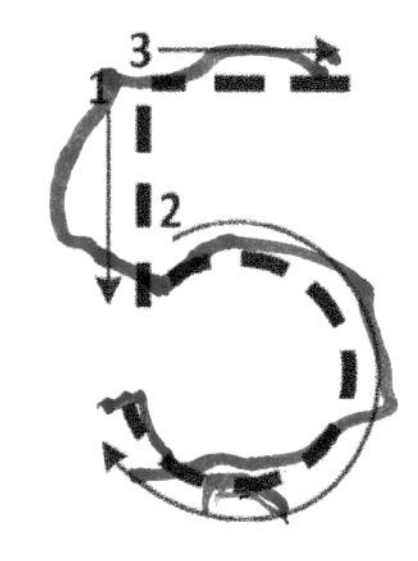

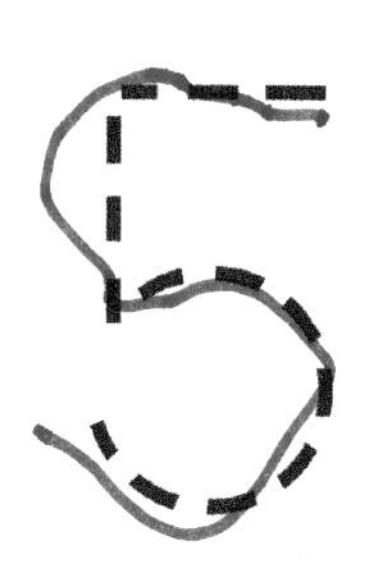

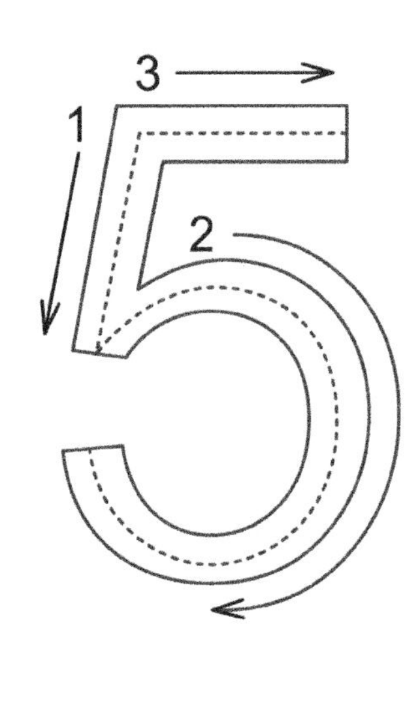
3
1
2

Five

1
2
3
4
5
36
9
8
7
6
11
12
35
10
13
31
30
34
33
32
29
14
28
22
23
21
15
27
24
25
26
20
16
19
18
17

5 5 5 5 5 5 5 5

5 5 5 5 5 5 5 5

5 5 5 5 5 5 5 5

Trace the 6s.

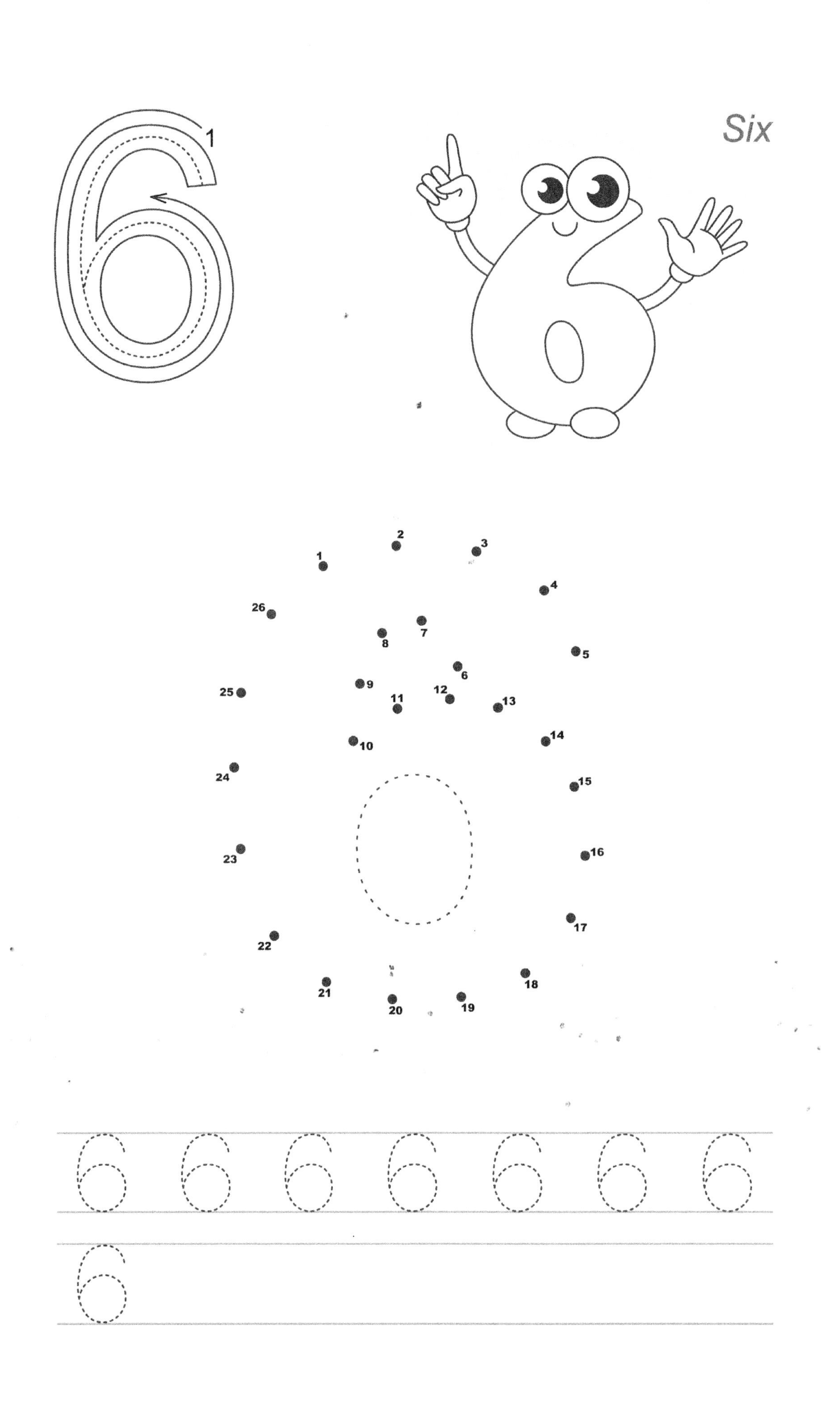
Six
1
2
3
4
5
6
7
8
9
10
11
12
13
14
15
16
17
18
19
20
21
22
23
24
25
26

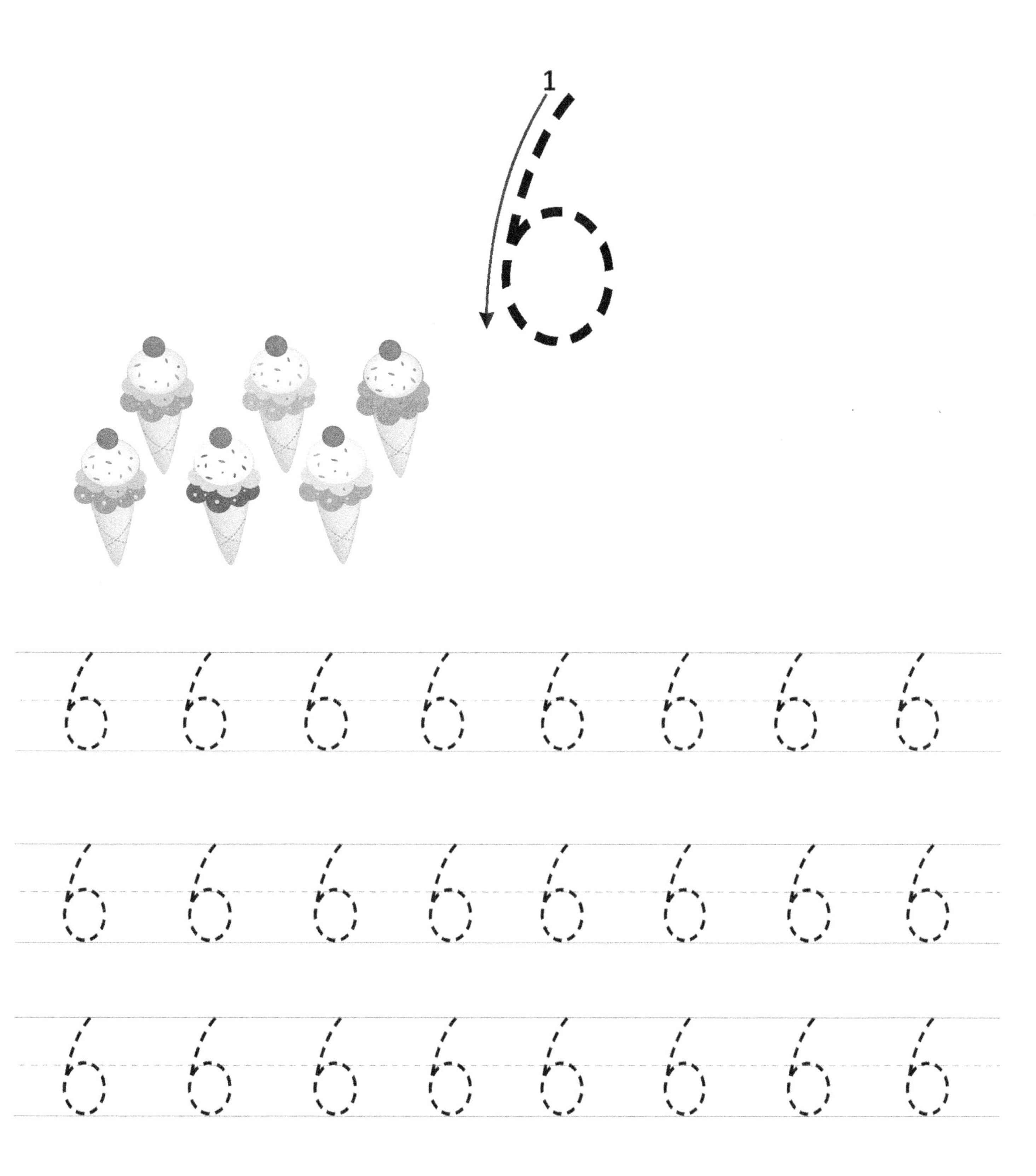
1

Trace the 7s.

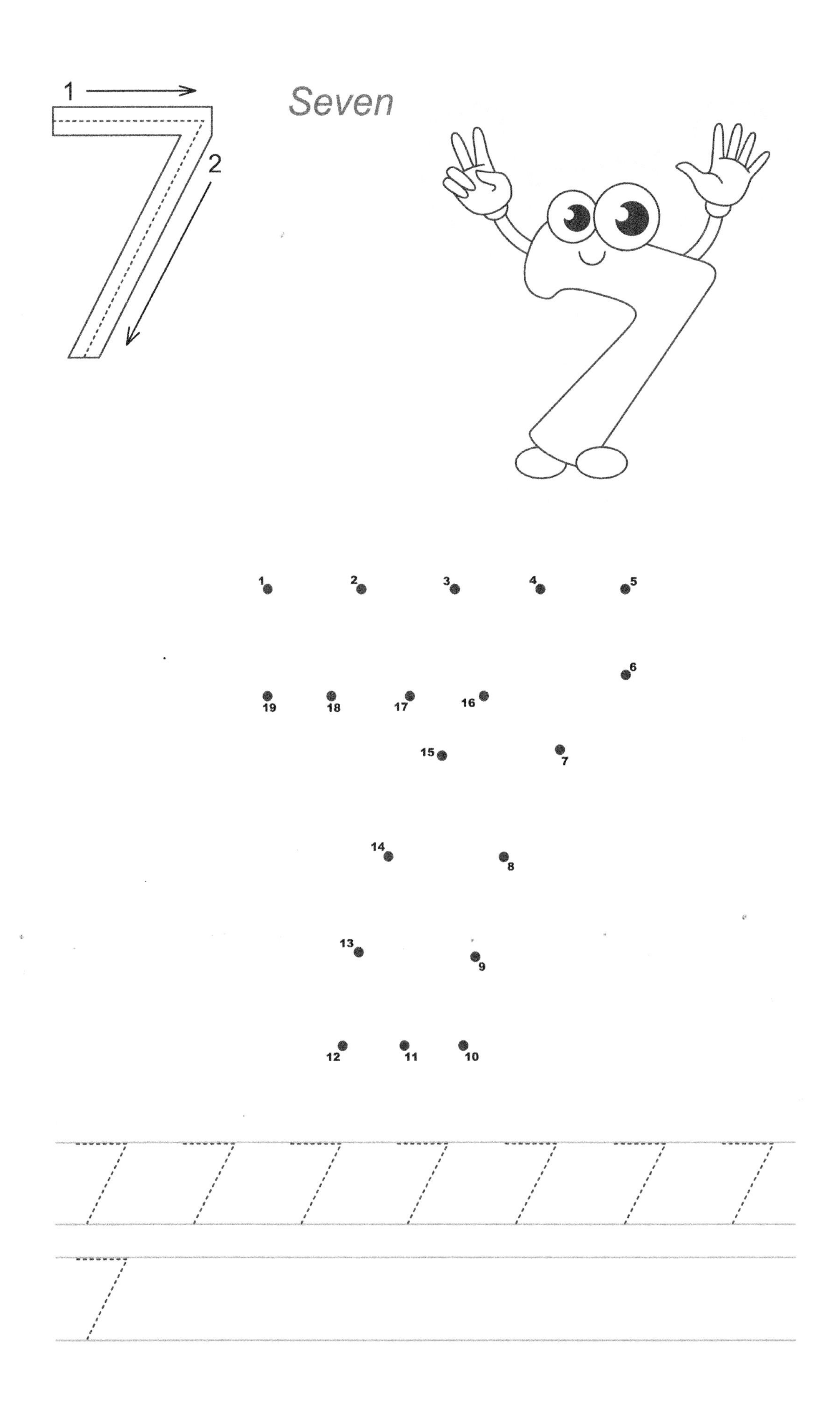

1
2
Seven
1
2
3
4
5
6
7
8
9
10
11
12
13
14
15
16
17
18
19

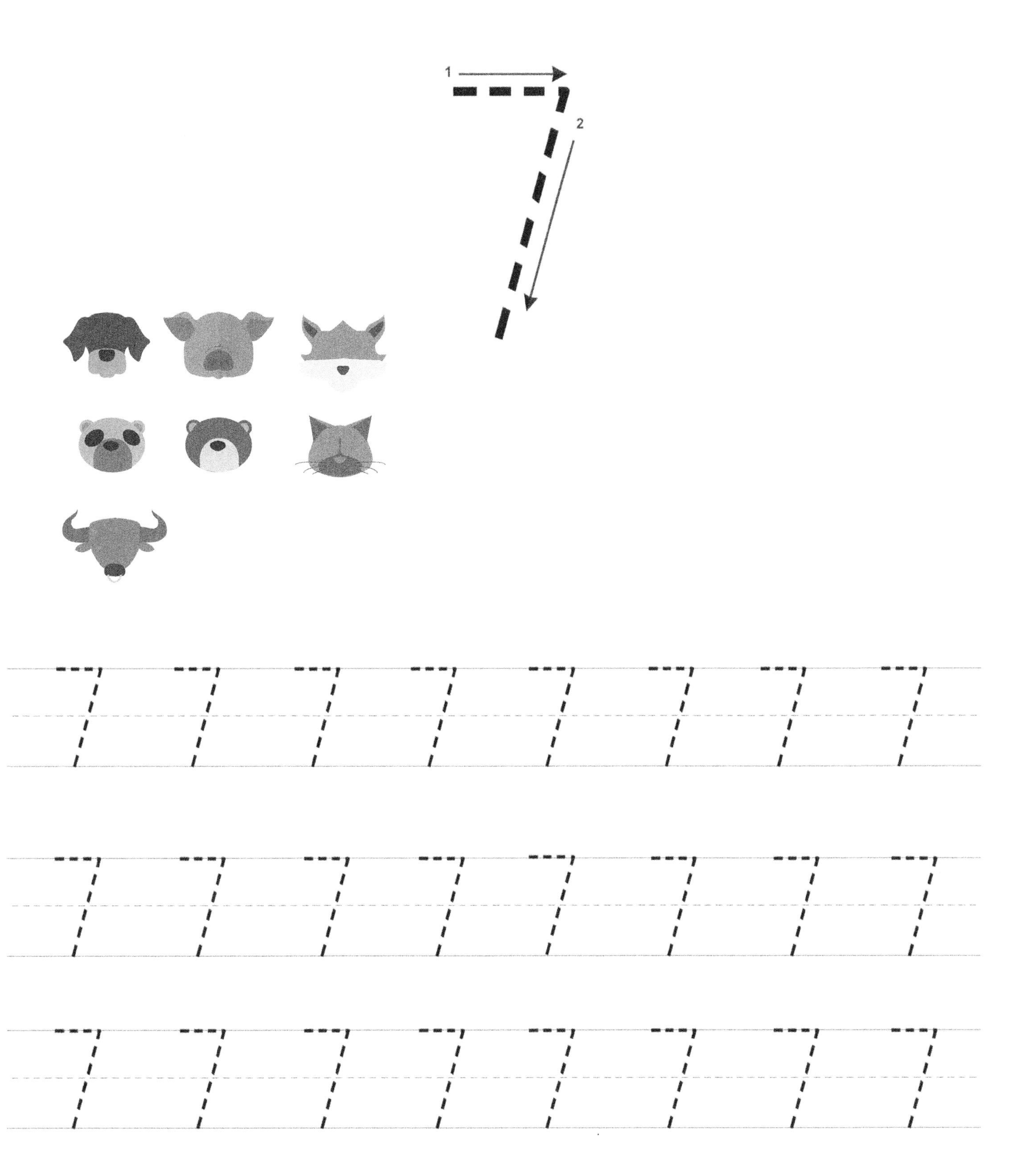
1
2

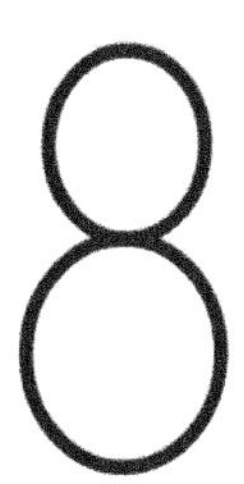

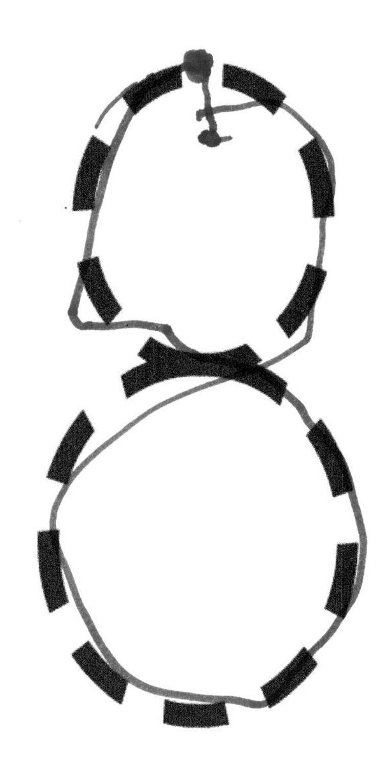

Trace the 8s.

    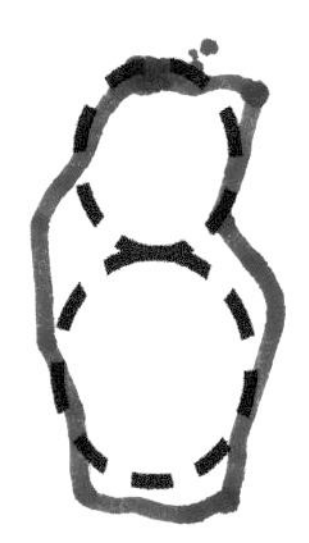

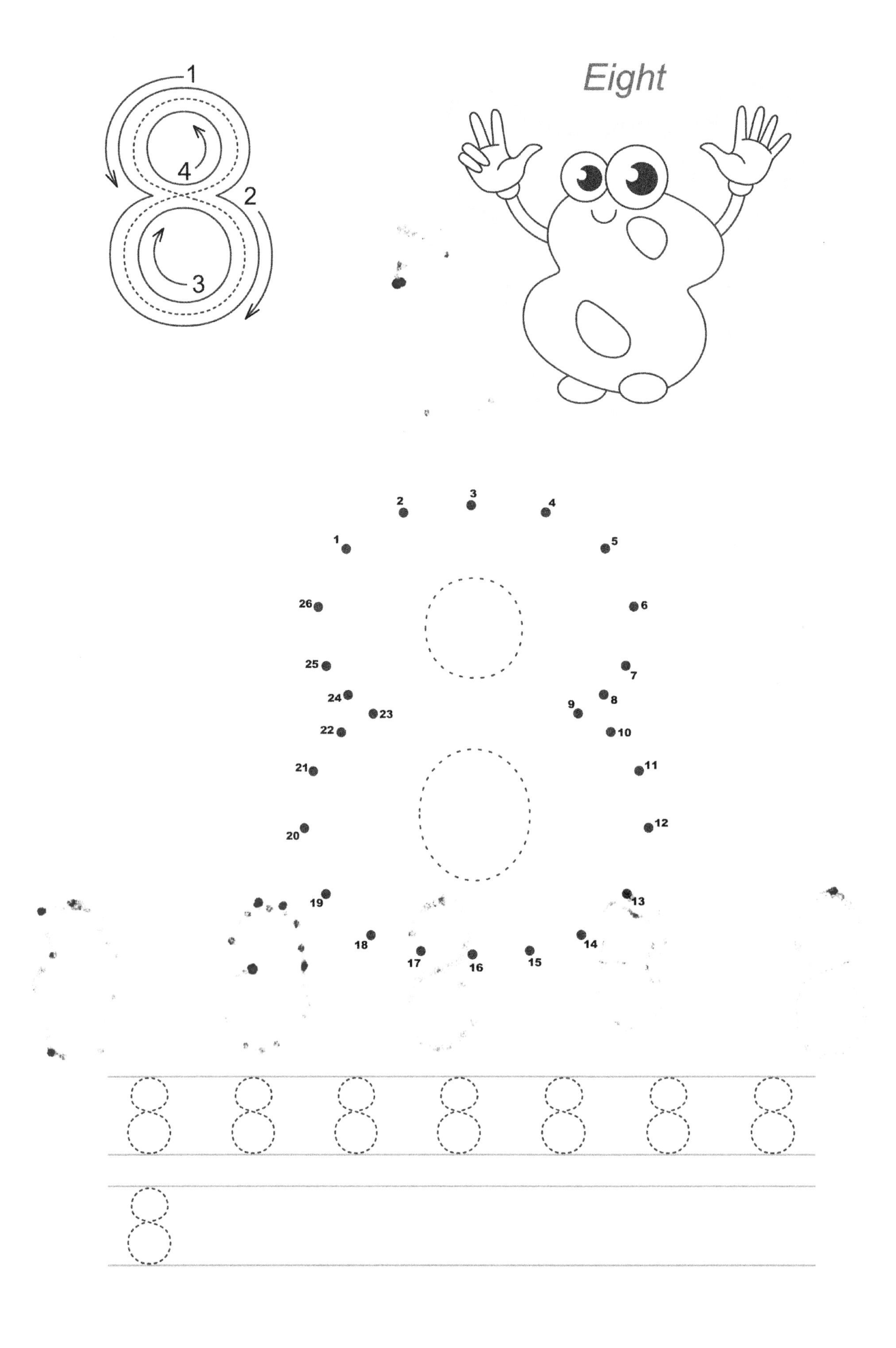

1
2
3
4
Eight
1
2
3
4
5
6
7
8
9
10
11
12
13
14
15
16
17
18
19
20
21
22
23
24
25
26

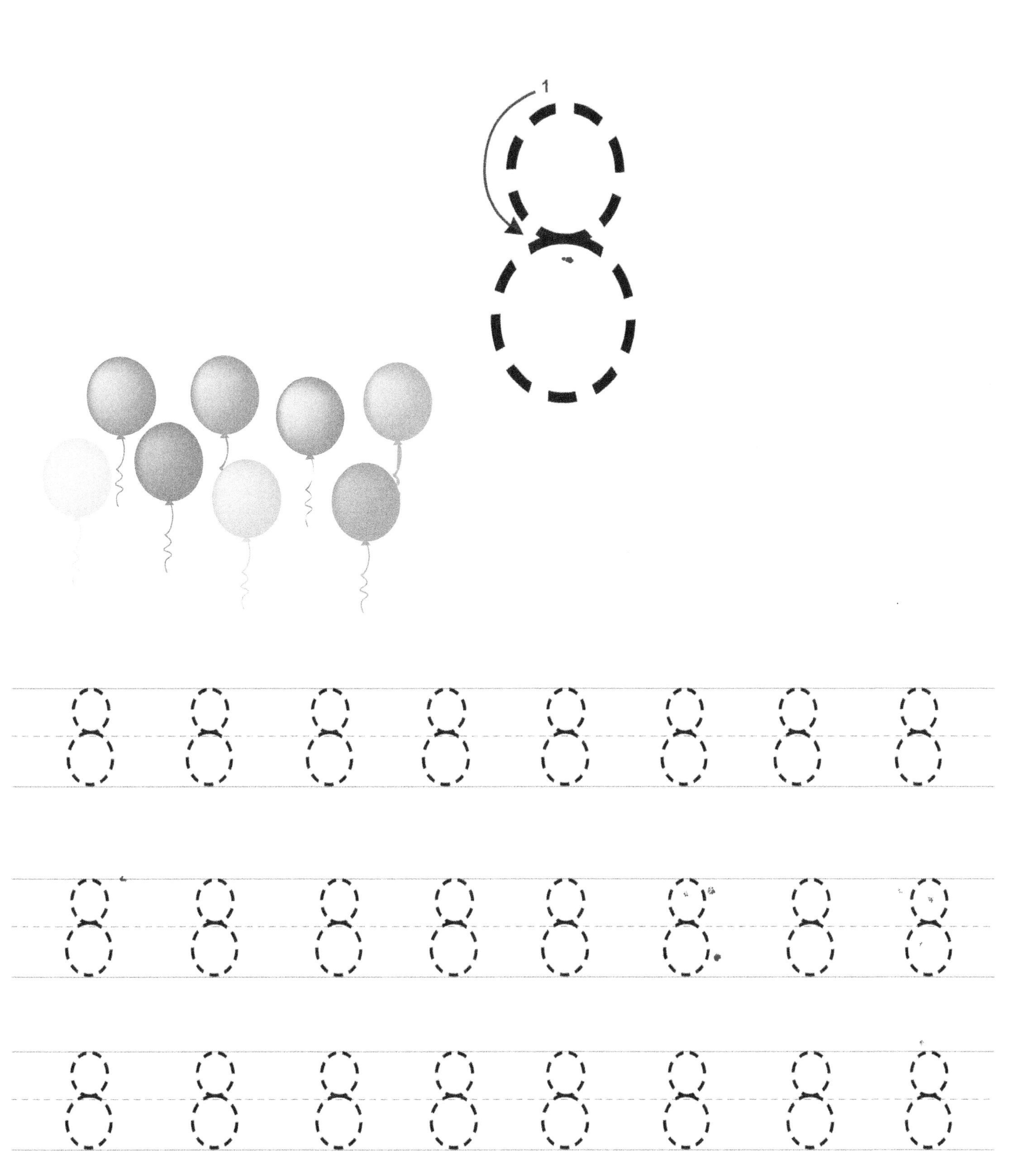
1

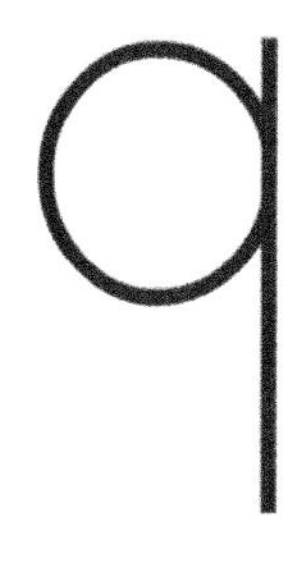

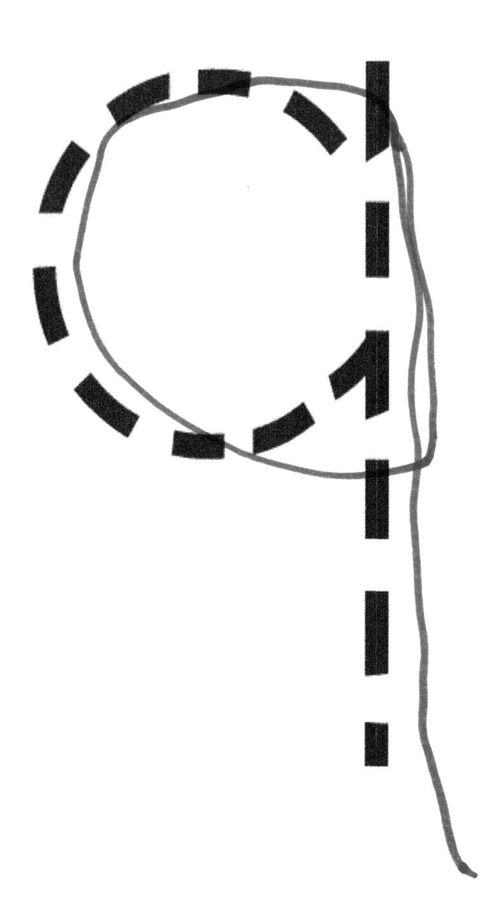

Trace the 9s.

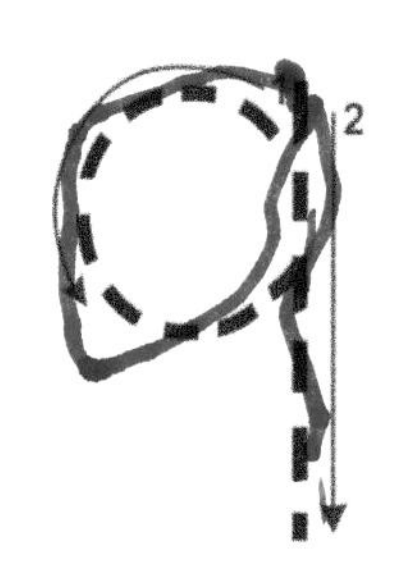

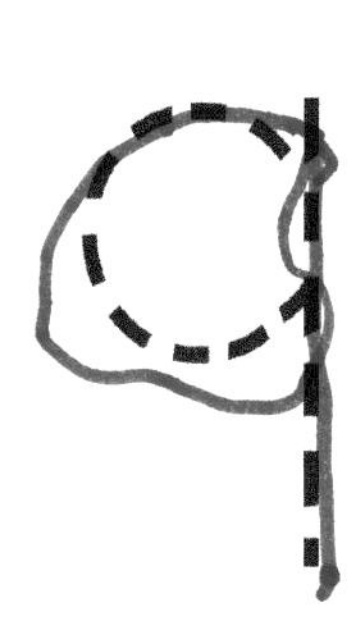

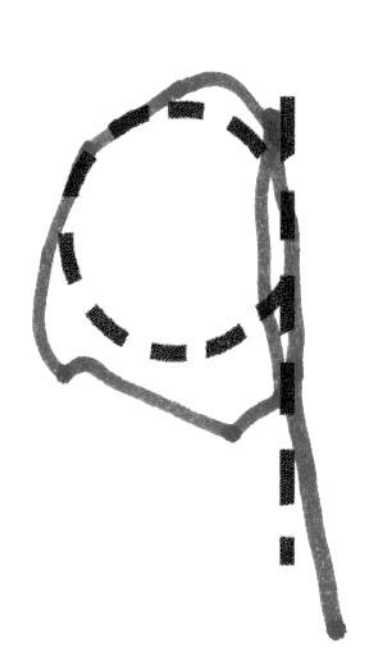

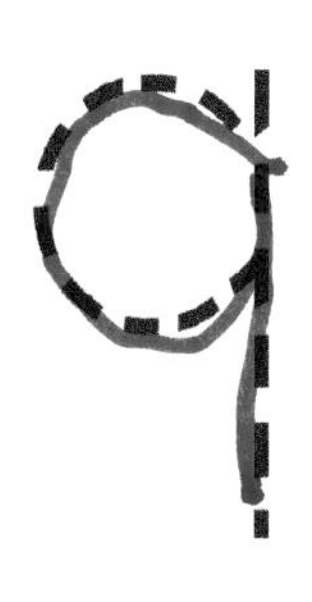

1
2
Nine

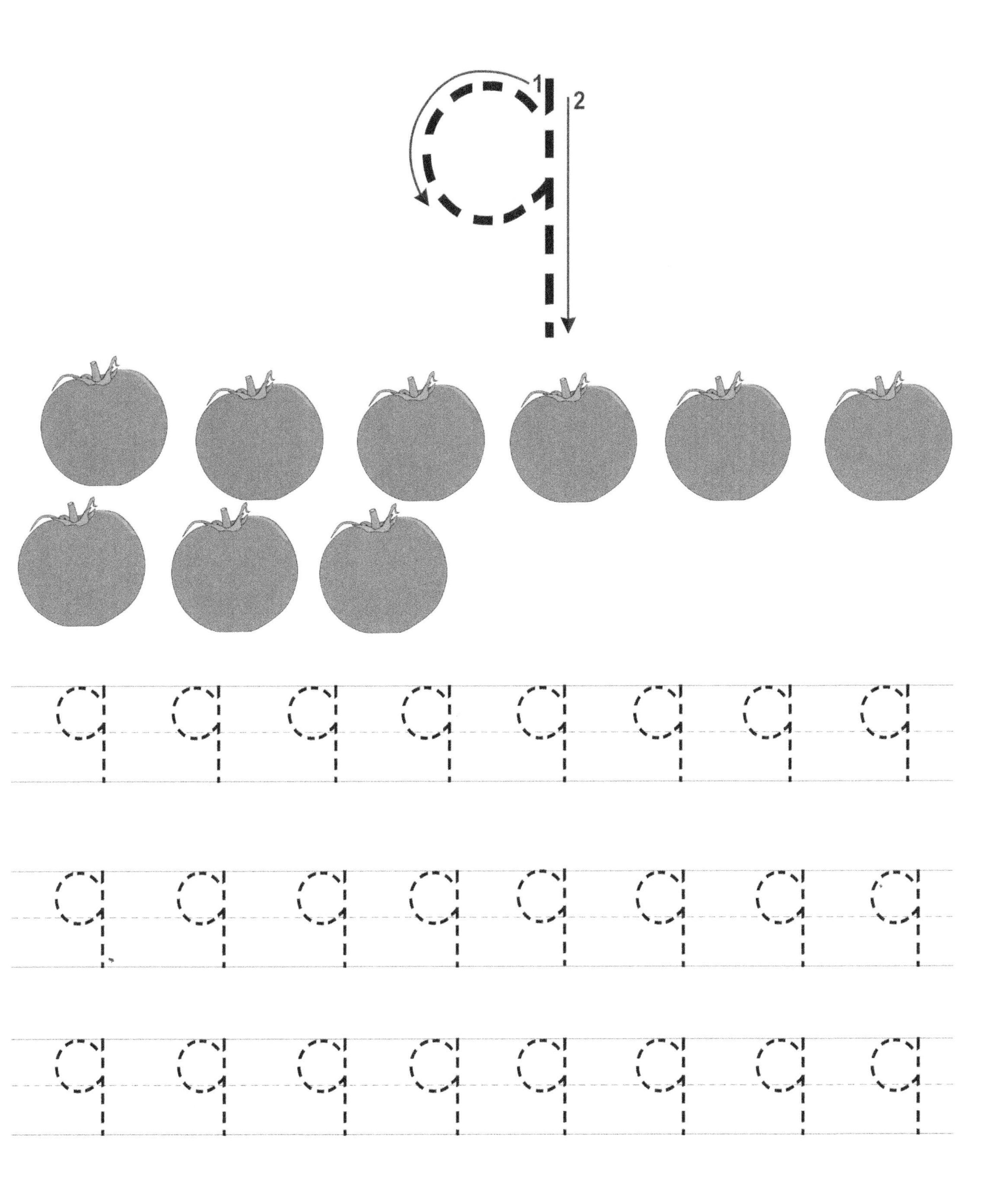
1
2

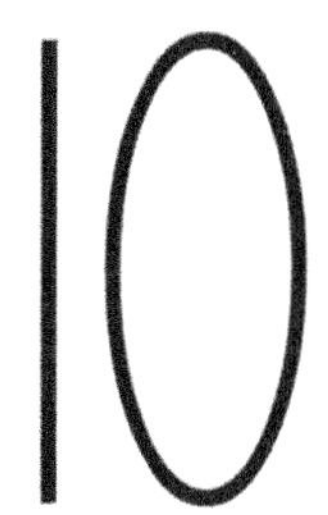

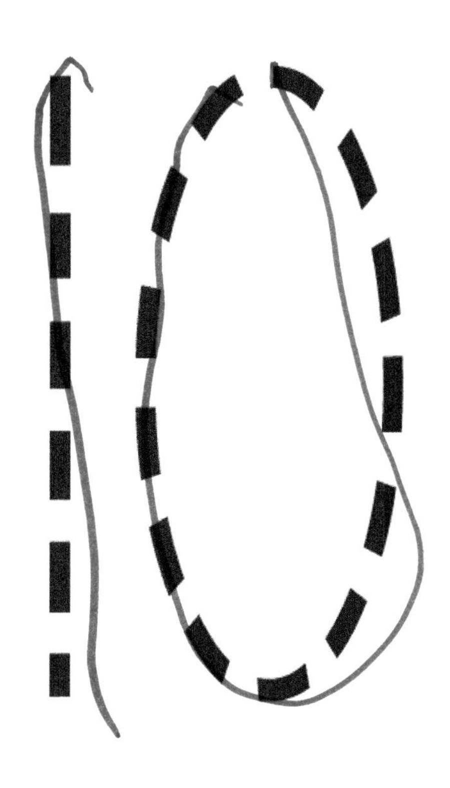

Trace the 10s.

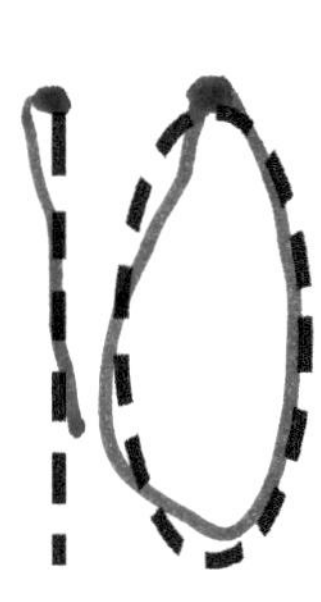

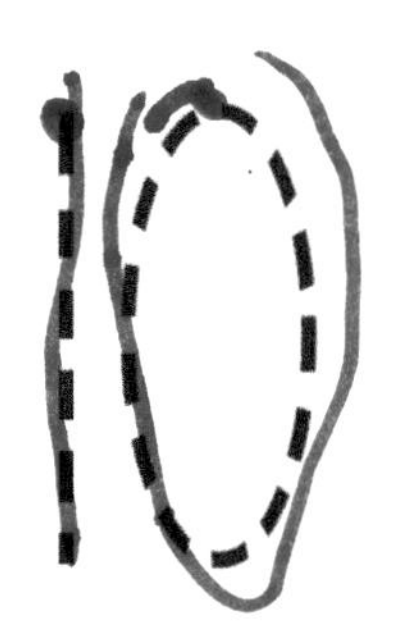

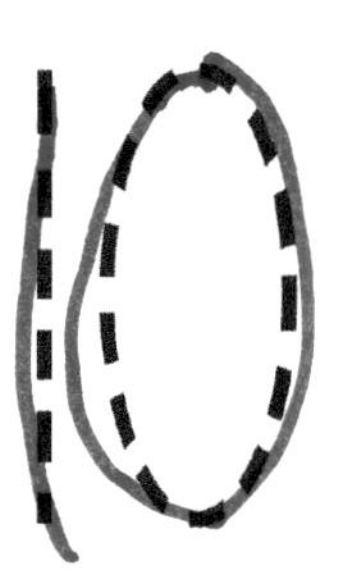

Ten

1 2 3 4 5 6 7 8 9 10 11 12 13 14 15 16

a b c d e f g h i j k l m n o

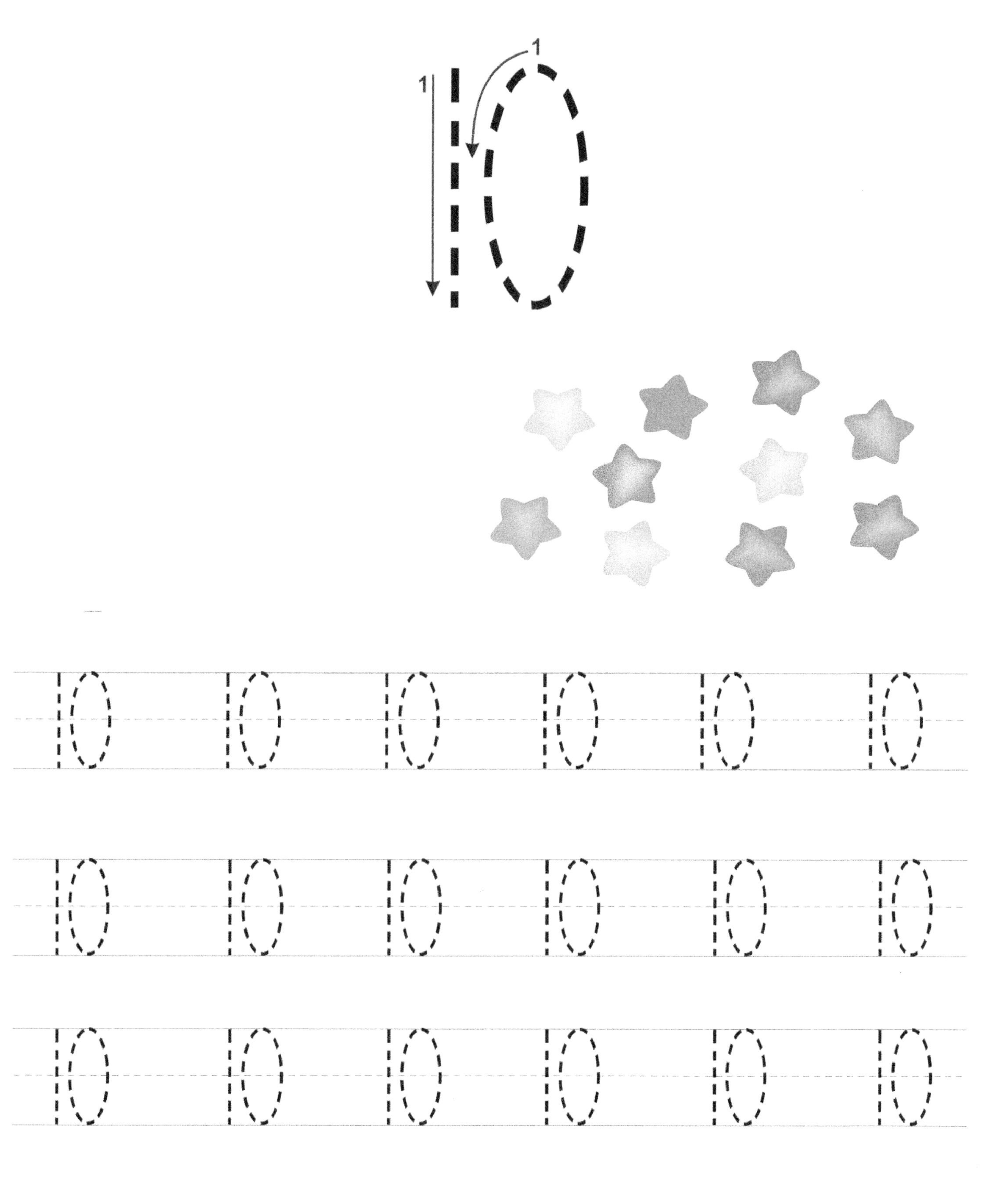

Trace the 11s.

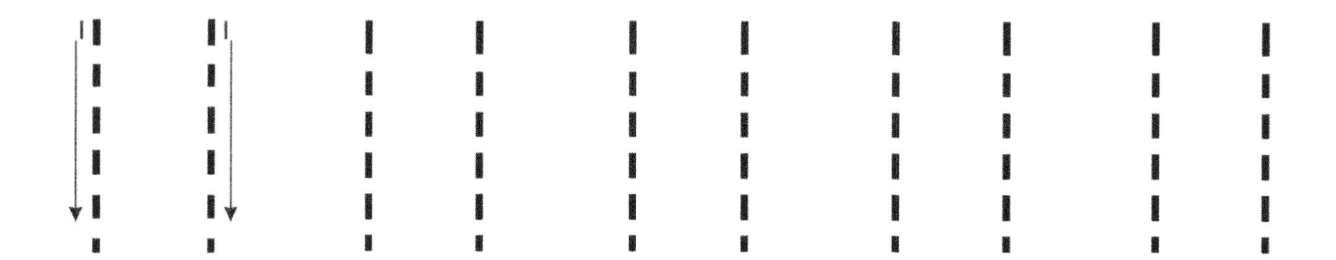

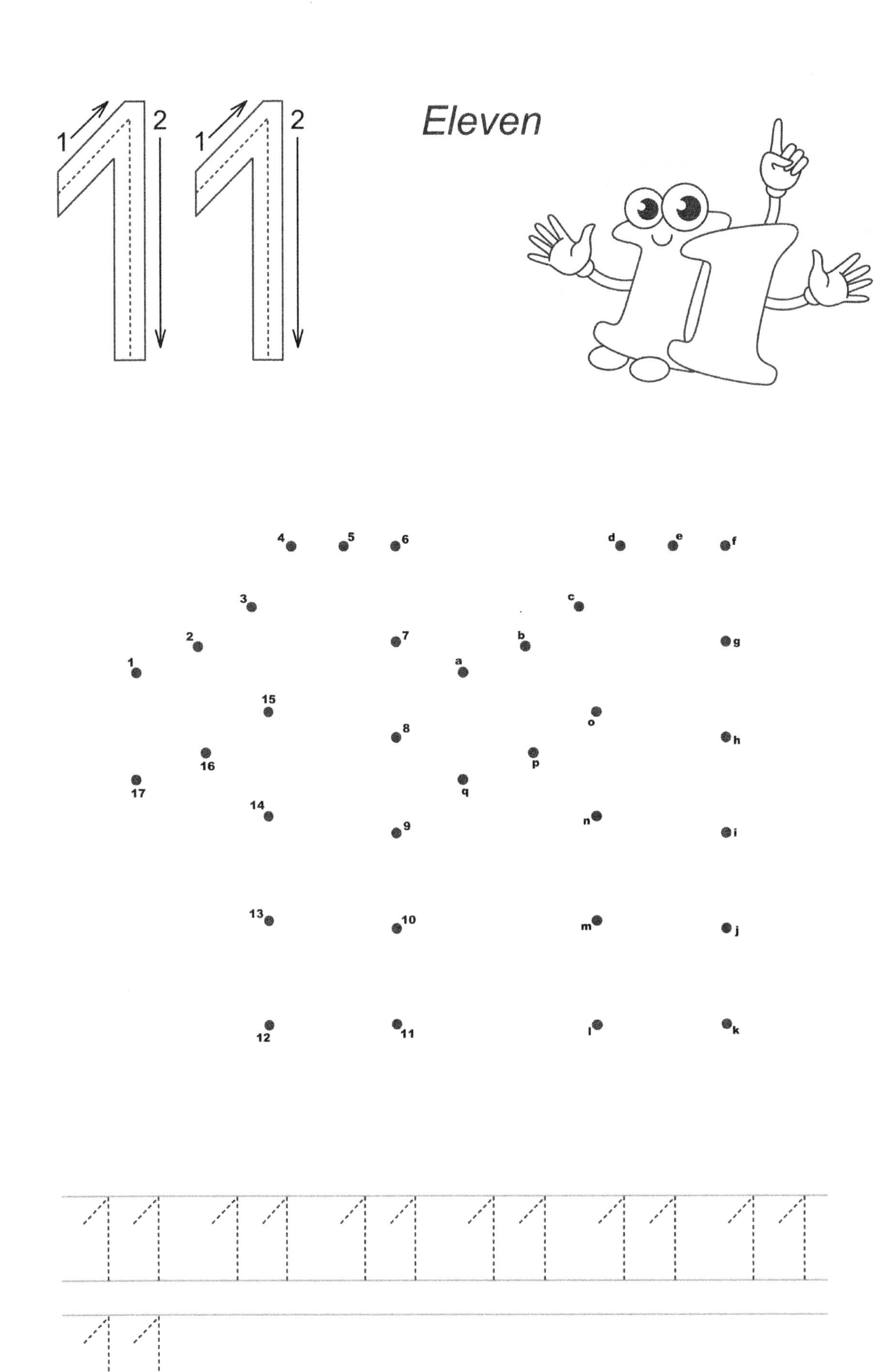
Eleven

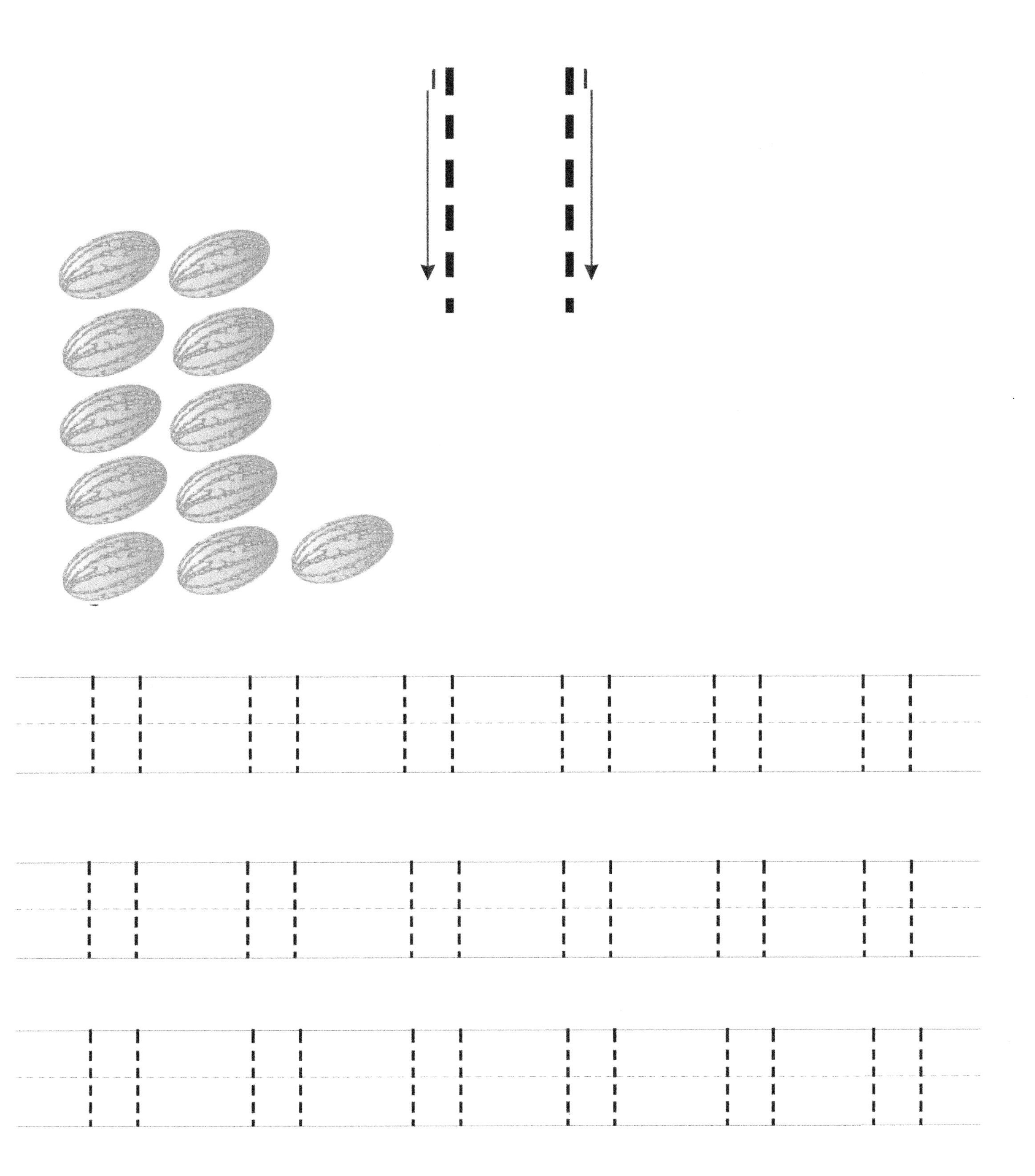

12

Trace the 12s.

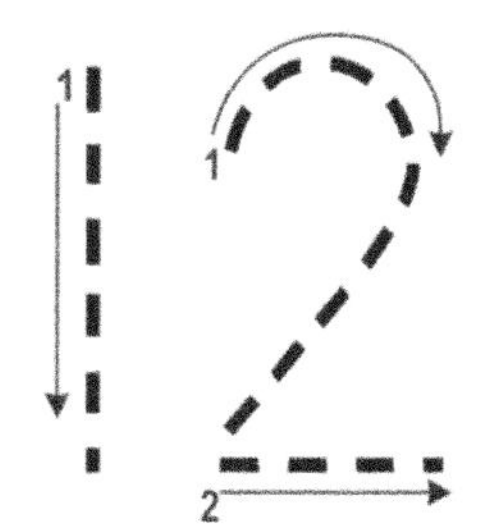

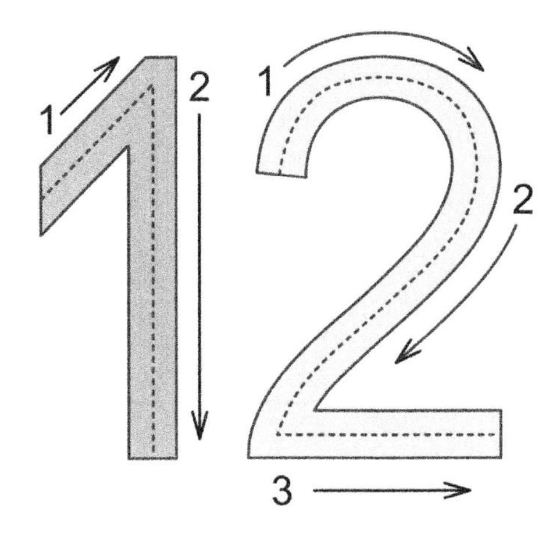

Twelve

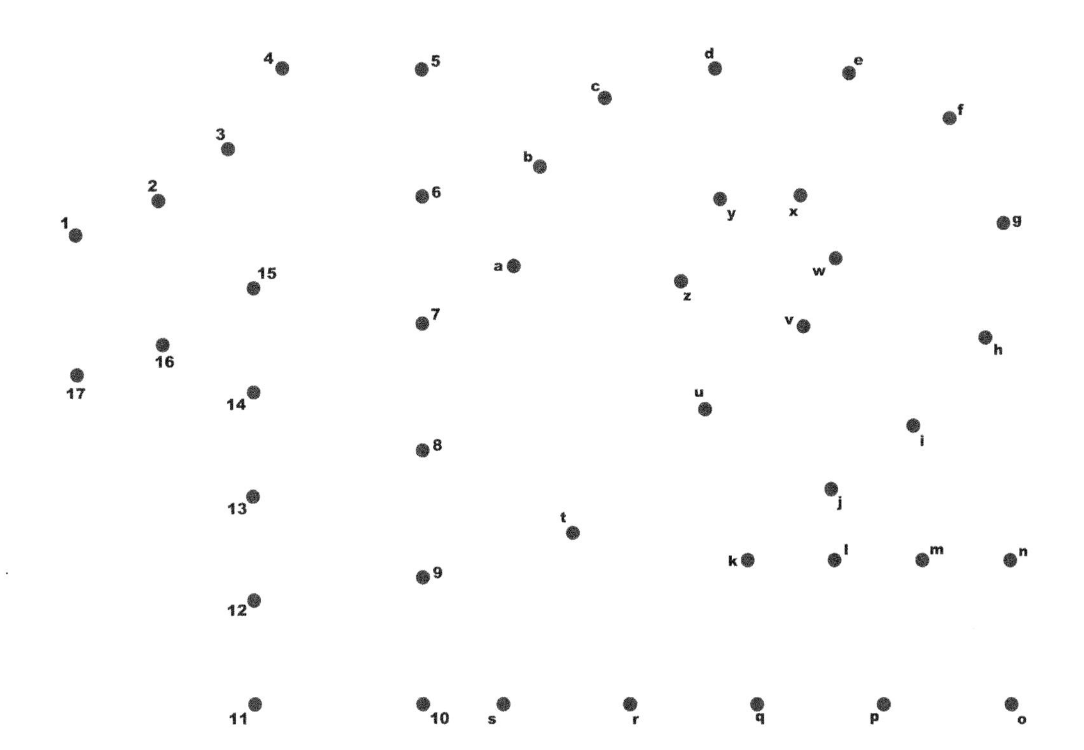

12 12 12 12 12 12

12

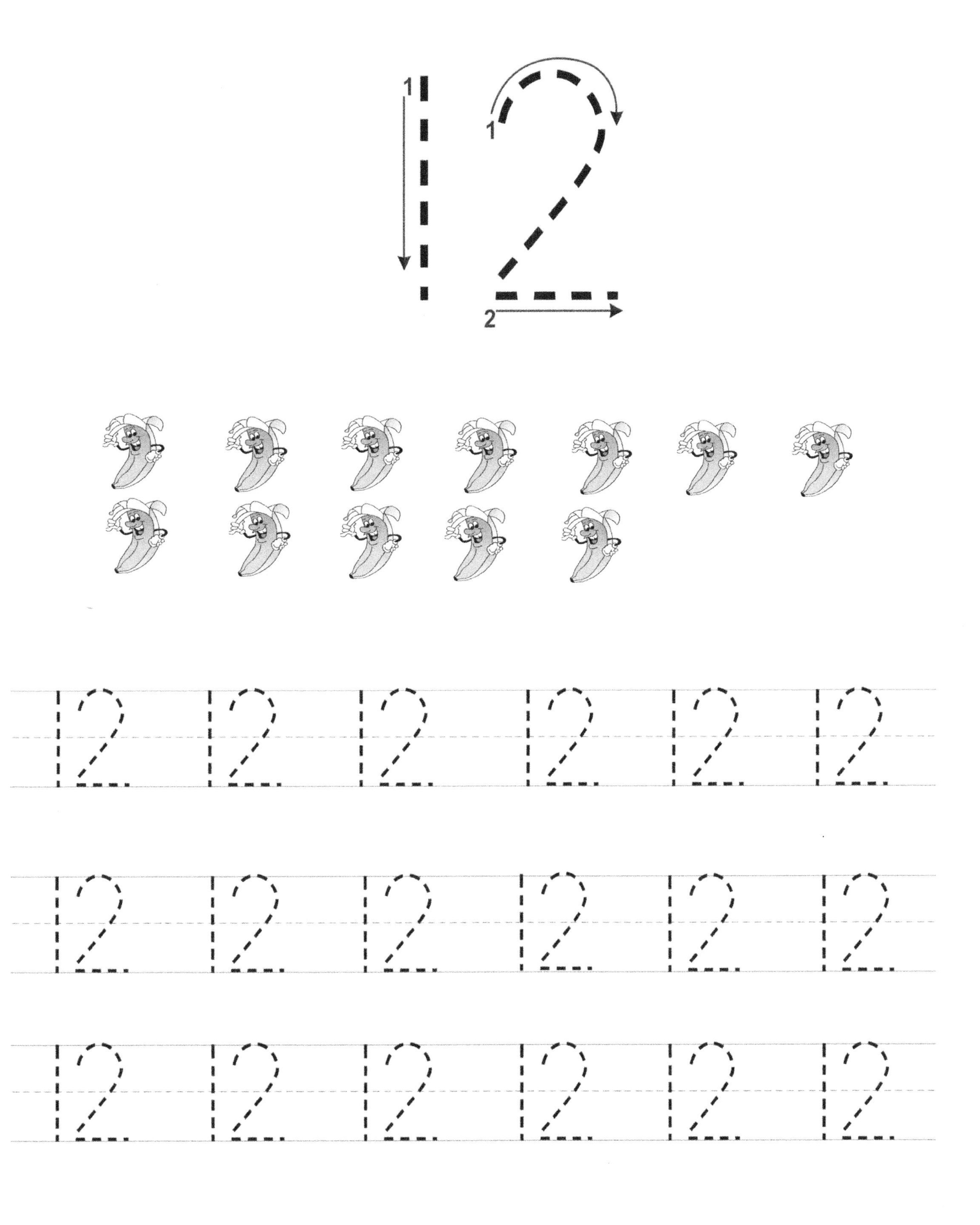
1
1
2

Trace the numbers 1-10.

1 1 1 1 1 1 1

2 2 2 2 2 2 2

3 3 3 3 3 3 3

4 4 4 4 4 4 4

5 5 5 5 5 5 5

6 6 6 6 6 6 6

7 7 7 7 7 7 7

8 8 8 8 8 8 8

9 9 9 9 9 9 9

10 10 10 10 10 10 10

Trace the numbers 1-20.

1 2 3 4 5

6 7 8 9 10

11 12 13 14 15

16 17 18 19 20

1	1	1	1	1
2	2	2	2	2
3	3	3	3	3
4	4	4	4	4
5	5	5	5	5
6	6	6	6	6
7	7	7	7	7
8	8	8	8	8
9	9	9	9	9
10	10	10	10	10

Printed in Great Britain
by Amazon

38103625R00038